Vente du Vendredi 23 Décembre 1864

TABLEAUX ANCIENS

Exposition le Jeudi 22 Décembre 1864

Mᵉ Charles **PILLET**, Commissaire-Priseur

M. **DHIOS**, Expert

PARIS IMPRIMERIE DE PILLET FILS AINÉ

5, RUE DES GRANDS-AUGUSTINS.

CATALOGUE

D'UNE COLLECTION DE

TABLEAUX

DES ÉCOLES

Française, Hollandaise, Flamande et Allemande

Les Amours de Pâris et d'Hélène
Par J. L. DAVID
Œuvre capitale de CARLE VAN LOO
Kermesse, par C. DUSSAERT
Sainte Élisabeth (de Hongrie), par FOSKARSKI
Œuvres remarquables de différents Maîtres

DONT LA VENTE AURA LIEU

HOTEL DROUOT, SALLE N° 7

Le Vendredi 23 Décembre 1864

A DEUX HEURES

Par le ministère de Me **CHARLES PILLET,** Commissaire-Priseur,
rue de Choiseul, 11

Assisté de M. **DHIOS,** Expert, rue Lepeletier, 33,

Chez lesquels se distribue le présent Catalogue.

EXPOSITION PUBLIQUE

Le Jeudi 22 Décembre 1864, de une heure à cinq heures.

CONDITIONS DE LA VENTE

Elle sera faite au comptant.

Les acquéreurs payeront, en sus des adjudications, *cinq pour cent.* applicables aux frais.

———

Paris. Imp. PILLET FILS AÎNÉ, rue des Grands-Augustins, 5.

DÉSIGNATION

DES TABLEAUX

DAVID (Jacques-Louis)

1 — Les Amours de Pâris et d'Hélène.

Toile. Haut. 1 mètre 45 cent.; larg. 1 mètre 80 cent. Figures, 80 cent.

Répétition du tableau qui est au musée du Louvre, avec certaines modifications dans la coloration des draperies. *Ce tableau fut commandé à David par la princesse L...; depuis il est resté dans la même famille.*

CARLE VAN LOO

2 — Portrait de l'Ingénieur Jean-Henry Hupeau, entouré de sa femme et de sa fille.

Toile. Haut. 1 mètre 33 cent.; larg. 1 mètre 62 cent.

Jean-Henry Hupeau est ce célèbre architecte que Louis XV récompensa en 1762 par le titre de premier ingénieur des ponts-et-chaussées, avec une rente annuelle de 4,000 livres pour la construction du pont d'Orléans dont il dirigea les travaux. Il est représenté dans ce tableau ayant à ses côtés sa femme et sa fille ; il tient d'une main le plan du pont d'Orléans que l'on aperçoit sur la Loire, dans le fond la ville d'Orléans.

Ce tableau peut être compté parmi les chefs-d'œuvre de Carle Van Loo.

FOSKARSKI (d'après J. B. GREUZE)

3 — Sainte Elisabeth de Hongrie.

Toile. Haut. 1 mètre 57 cent.; larg. 1 mètre 16 cent.

Belle copie ancienne du tableau de Greuze qui a été détruit dans un incendie en Russie. On voit au musée de Montpellier une composition analogue de petite dimension sous le titre de la prière.

DUSSAERT (CORNEILLE)

4 — Kermesse hollandaise.

Toile. Haut. 64 cent.; larg. 70 cent.

Importante composition traitée dans la manière d'Adrien Van Ostade, dont Dussaert s'est souvent inspiré.

HACKERT (PHILIPPE, surnommé HACKERT d'Italie)
(Signé 1775.)

5 et 6 — Deux grands Paysages représentant la campagne de Rome.

Vastes compositions ornées de figures, formant pendants.

Toile. Haut. 1 m. 25 cent.; larg. 1 m. 68 cent.

HACKERT (signé 1775)

7 et 8 — Deux Paysages plus petits que les précédents, formant pendants.

BERG (Dyrck Van)

9 — Pâturage avec Bestiaux.

BERGHEM

10 — Le Passage du guet.

B MEN (Van)

11 — Halte de cavaliers, près d'une cantine.

DU MÊME

12 — L'Hôtellerie.

BOREL

13 — Le Messager indiscret.

Dessin colorié.

DU MÊME

14 — La Correction. Pendant du précédent.

BOULONGNE

15 et 16 — Faune et Bacchante. Deux pendants.

BREEMBERG

17 — Ruines et figures.

BREUGHEL (de Velours)

18 — Paysage boisé, avec figures de chasseurs sur le premier plan.

BREYDEL (le Chevalier)

19 — Combat de cavalerie.

CAMPANELLA

20 — L'Horticulture des fleurs.

GELLÉE (CLAUDE, dit LE LORRAIN)

21 — Marine. Soleil couchant.

CORRÈGE (attribué à)

22 — Tête d'Ange.

DAVID TÉNIERS (Signé 1643.)

23 — Vénus et Vulcain.

DEMARNE

24 — Paysage. Sur le premier plan, berger gardant des bestiaux.

DETROY

25 — La famille du Régent.

Charmant petit tableau de chevalet.

DIÉTRICH

26 — Portrait d'un jeune agrçou.

Peint dans la manière de Rembrandt.

DU MÊME

27 — Prédication de Jésus-Christ.

FRAGONARD

28 et 29 — Deux jolies gouaches représentant des Danseuses de l'Opéra sous Louis XVI.

GRIFFIER

30 et 31 — Vues des bords du Rhin, compositions animées de jolies figures. Deux pendants.

POUSSIN (Guaspre)

32 — Paysage historique.

GUIDE (École)

33 — Buste de Vierge.

HEEM (Jean-David de)

34 — Fruits et nature morte.

DU MÊME

35 — Fruits, Vases et Ustensiles. Pendant du précédent.

HONTORST (Gérard)

36 — L'Opérateur dentiste.

Toile. Haut. 1 m. 35 cent.; larg. 1 m. 68 cent.

HUE (Signé)

37 — Marine.

JORDAENS (Jacques)

38 — Sainte Famille

LANCRET

39 — La Servante justifiée.

DU MÊME

40 — Concert dans un parc.

LARGILLIÈRE

41 — Portrait d'une Dame de distinction sous Louis XIV.

LAWRINCE

42 — Portrait d'une Jeune femme du temps de Louis XVI.
(Forme ovale.)

Mlle LEDOUX

43 — Jeune fille lisant une lettre.

LEW (Van Der)

44 — La Fontaine.

MICHEL

45 — Le Moulin.

Superbe étude terminée dans le sentiment de Ruysdaël.

MIEL (Jean)

46 — Réunion de Bohémiens.

MIGNON (Abraham)

47 — Fruits, Vases et Bas-Reliefs.

MOLENAER

48 — Intérieur flamand.

NEER (Van Der)

49 — Vue de Dordrecht. Effet de lever de lune.

PAROCEL

50 et 51 — Combats de cavalerie.

Deux tableaux vigoureusement peints formant pendants.

DU MÊME

52 — Vénus chez Vulcain.

PŒLEMBURG

53 — Nymphes et Satyre.

REMBRANDT (d'après)

54 — Tête de rabbin.

SCHUTZ (Signé, 1778)

55 — Paysage avec Monuments en ruines ornés de figures.
Petit tableau d'une précieuse exécution.

SWÉBACH (Signé)

56 — Halte d'une Troupe de cavaliers.

TANNEUR

57 — Une Plage. (Côtes de France.)

DU MÊME

58 — Marine.

THULDEN (Van)

59 — La danse des Amours.

Mme VALLAYER-COSTER (1810)

60 — Bouquet de roses dans un vase.

VÉRONÈSE

61 — Portrait du duc Farnèse.

VICTOR (Signé)

62 — Kermesse.

VOLLERTT (Signé, 1761)

63 — Paysage orné de Figures.

WATTEAU

64 — Le Camp.

WETH (Signé)

145. 65 — Sacrifice à Vénus.

WOUVERMANS (PHILIPS. (Signé)

525. 66 — Chasse au Faucon.

WYNANTS

400 67 — Paysage avec terrains accidentés. Sur la route un mu-
letier.

LARGILLIÈRE

460. 68 — Portrait de la duchesse d'Orléans, femme du Régent.

Toile. Haut. 1 m. 42 cent.; larg. 1 m. 05 cent.

DESPORTES

140. 69 — Canards et leurs petits surpris par un renard.

70

DESPORTES

70 — Chien blanc en arrêt devant deux faisans. Pendant du
précédent.

MAITRE HOLLANDAIS (du xviiie siècle)

71 — Vue d'un village maritime en Hollande.
Tableau très-fin orné de figures.

ÉCOLE FRANÇAISE

72 — Portrait d'une jeune Princesse du temps de Louis XIII.
Elle est représentée debout, grandeur naturelle, vêtue d'une
robe ornée de dessins à fleurs de lys.

73 — Pastorale.

74 — Sainte Catherine.